JAROSŁAW MIKOŁAJEWSKI

WIERSZE Z KĄPIELI

ZILUSTROWAŁ
MACIEK BLAŹNIAK

Spis rzeczy

Marysi, Zosi i Julce,
z różnych lat i różnych miejsc

Czy to Karwia, czy też Chłopy,
mkną po plaży bose stopy.
A gdzie tylko stanie stopa,
grzęźnie w dołkach albo w kopach.

Kiedy stopa wpada w dołki,
wtedy fika się koziołki,
a gdy stopa utknie w kopie,
to się łatwo w niej zakopie:
piasek w kopie stopę łechce,
i się stopie wyjść już nie chce.

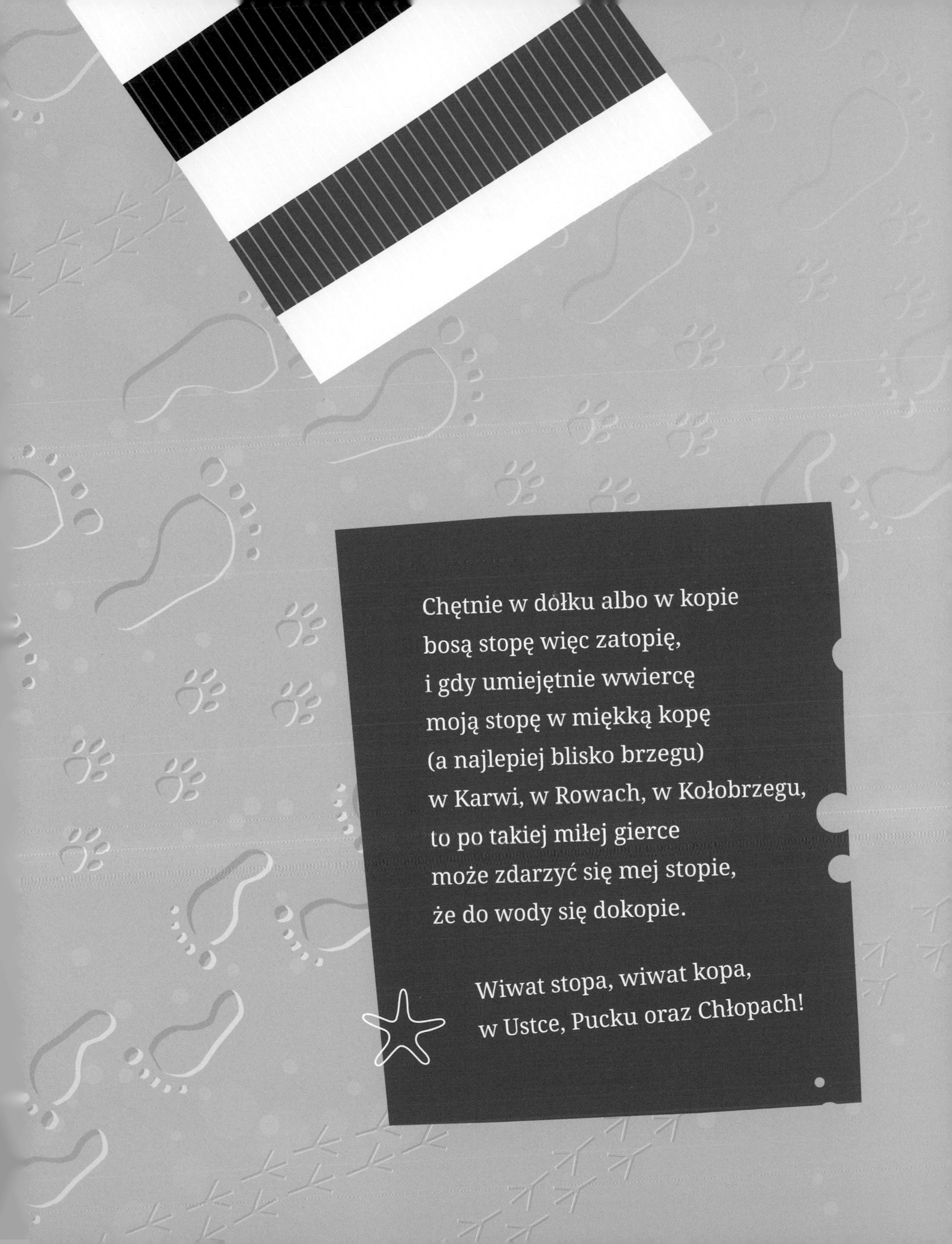

Chętnie w dołku albo w kopie
bosą stopę więc zatopię,
i gdy umiejętnie wwiercę
moją stopę w miękką kopę
(a najlepiej blisko brzegu)
w Karwi, w Rowach, w Kołobrzegu,
to po takiej miłej gierce
może zdarzyć się mej stopie,
że do wody się dokopie.

Wiwat stopa, wiwat kopa,
w Ustce, Pucku oraz Chłopach!

Wierszyk o mijaniu

Oparzyła mnie meduza,
nie mówiąc *scusi* czy *scusa*,
czyli bez słowa „przepraszam".
Lecz ja się jej nie przestraszam,
bo słoną wodą się zraszam
i zaraz pieczenie mija,
bez płaczu i *mamma mia*.

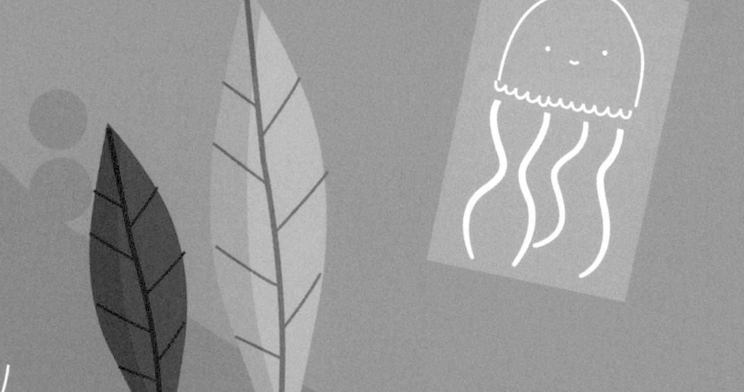

Ukłuła mnie w stopę *trecina*...
Na chwilę zrzedła mi mina,
lecz dzielna ze mnie dziewczyna,
więc stopę w gorący piach
wkładam, i cały strach,
bez krzyku i *mamma mia*,
jak ręką odjął przemija...

Z muszelki wynurzył się krab,
na rękę mi wyszedł, i cap!...

I fala dziś była wysoka,
więc woda mi wpadła do oka...

A słońce przypiekło mi kark,
i komar ukłuł mnie w bark...

I co? I nic.
Bo cały w tym wic,
że kiedy wyjedziesz z miasta,
wystarczy zaklęcie *basta*,
i wszystko, co złe, szybko mija,
bez płaczu i bez *mamma mia*.

Włoskie *scusi* i *scusa* czyta się „skuzi” i „skuza”. Tym pierwszym słowem przepraszaj kogoś, z kim jesteś na pani albo na pan, tym drugim – kolegę, koleżankę, siostrę albo brata.

A *trecina* to ryba, która lubi przycupnąć na dnie. Ma trzy kolce i chętnie wbija je w stopę, kiedy ta ją nadepnie. Ból jest duży, lecz mija po niespełna godzinie.

GLON – ona czy on?

Julianowi Tuwimowi

Czy to na pewno jest glon?
I czy to na pewno jest on?

A może nie on to, lecz ona,
bo jest taka wiotka, zielona…
Ruchliwa jak czubek ogona –
zupełnie jak ona, nie on.
Jak żona glona, nie glon.

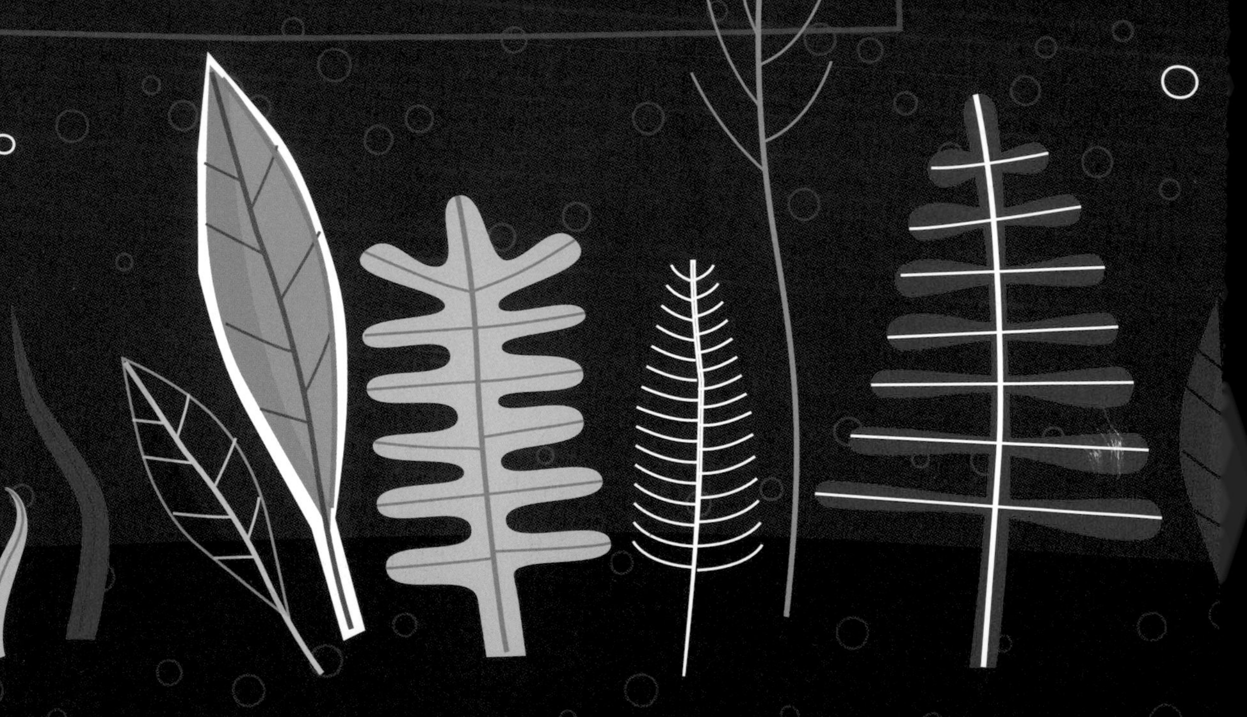

Tam obok, ostry jak szpon,
wyniosły jak hrabia czy *don* –
o, tak, to na pewno jest on!

A tamto żółciutkie gloniątko
to musi być glonów dzieciątko…

Szkoda, że glonik żółty, wesoły,
nie chodzi razem z nami do szkoły!

co może morze

Mamusiu, czy może być tak,
że ryba w morzu to ptak?
Bo właśnie pomiędzy algami
prześliznął się śledź ze skrzydłami
i wdał się w zabawną gonitwę,
próbując dogonić rybitwę,
gdy ona białymi płetwami
bawiła się w berka z falami...

Więc powiedz, czy może być tak,
że ryba w morzu to ptak?

I w morzu czy wszystko być może,
gdy patrzy się długo na morze,
i kiedy w słoneczny się dzień
blask słońca nałoży na cień?...

Świt nad morzem

Białe pióra, biała mgiełka,
nikt nie woła i nikt nie łka.
Cicho wszędzie, biało wszędzie:
co to będzie, co to będzie?

Co być miało, jest już wszędzie:
to łabędzie, to łabędzie.
Białe smugi łabędź przędzie
białych mgieł i białych fal,
a za nimi sina dal.

Albo może nie tak sina,
bo już dzień się rozpoczyna.

FALA

Idzie fala, wielka fala,
taka fala, co wywala.

Trzymaj ty się od niej z dala,
bo gdy przyjdzie taka fala,
taka fala, co wywala,
będziesz leżał jak ta lala,
albo, patrz, jak ciocia Hala!...

Ha-ha Hala, ha-ha Hala!
Ciocia Hala – wielka gala,
którą wywaliła fala!

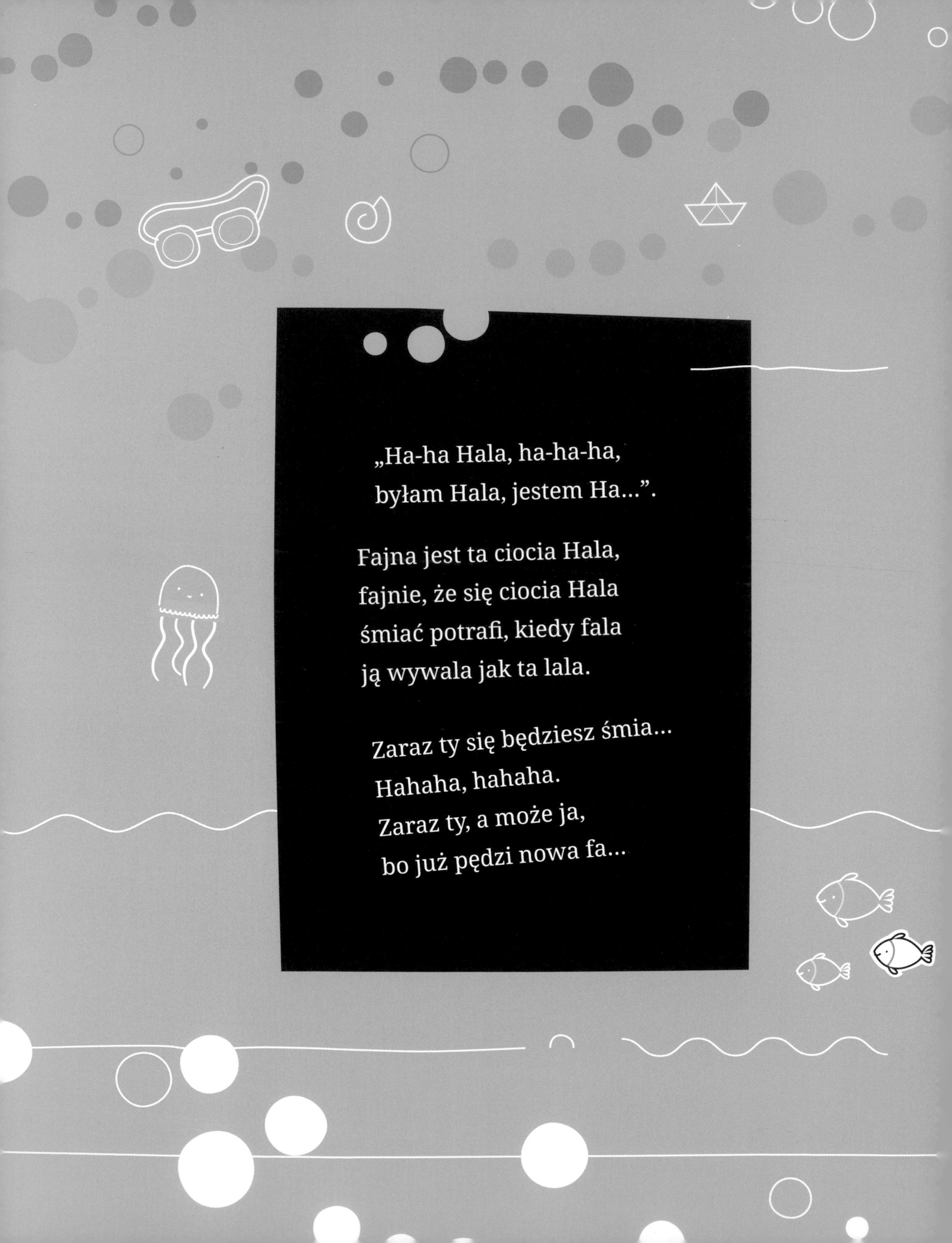

„Ha-ha Hala, ha-ha-ha,
byłam Hala, jestem Ha...”.

Fajna jest ta ciocia Hala,
fajnie, że się ciocia Hala
śmiać potrafi, kiedy fala
ją wywala jak ta lala.

Zaraz ty się będziesz śmia...
Hahaha, hahaha.
Zaraz ty, a może ja,
bo już pędzi nowa fa...

Wierszyk ten autor ułożył razem z Julką, kąpiąc się w Morzu Tyrreńskim. Współautorka i współautor dedykują go cioci Hali z Płońska, z którą wspomniany współautor spędzał wakacje, kiedy był mały, i która wchodziła do Bałtyku zawsze w pełnej gali, i śmiała się, gdy woda psuła jej elegancką fryzurę.

niBy meduza

A co to za galareta?...
Nie, tato, nie ta:
nie tamta tam, lecz ta tu,
jak brzydka meduza bez tchu.
I sama nie rusza się wcale,
jeżeli nie ruszą jej fale.

Gdzie tego czegoś są nóżki,
gdzie brzuszek, podbrzuszek i różki?
Gdzie macki są, i gdzie głowa?...

A fuj! To torebka foliowa...
Nieładna, choć taka różowa.
Bezkształtna i rozklapciana,
jak gdyby pływała od rana.

A przecież w dni sławy i chwały
nosiła za panią sandały.
Lub w czasach największej świetności
nosiła na plażę słodkości,
chroniła cukrowe serduszka,
od piasku – świeżutkie jabłuszka,
od ciepła – schłodzone melony
i pyszne lodowe batony...

I nagle, dorosły lub dziecko,
do morza ją wrzucił zdradziecko.
Z jej sławą nie licząc się wcale,
torebką nakarmić chciał fale...

Do kosza torebkę więc nieśmy,
przed ludźmi schowajmy ją gdzieś my.

KASIA

Pisanie na piasku

Piasek grząski,
woda wartka:
plaża w Gąskach
to nie kartka.

Ptasie pióro
nie długopis,
tym trudniejszy
będzie popis.

Piórem ptasim
trudno pisać,
trudno Kasi
się popisać,
lecz pisanie,
w szkole żmudne,
zaraz nudne
być przestanie.

Pozdrowienia
z wakacji
w Gąskach!

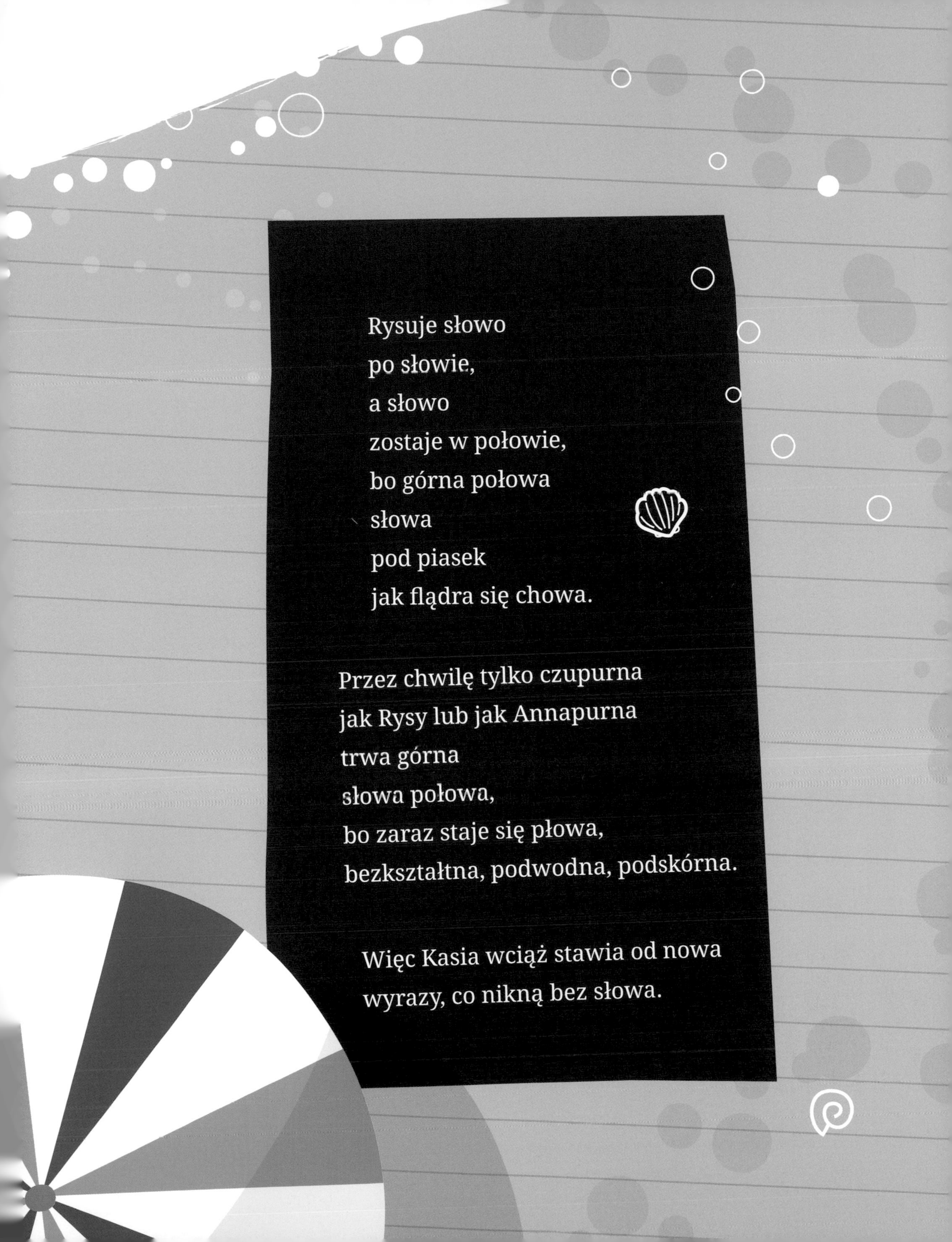

Rysuje słowo
po słowie,
a słowo
zostaje w połowie,
bo górna połowa
słowa
pod piasek
jak flądra się chowa.

Przez chwilę tylko czupurna
jak Rysy lub jak Annapurna
trwa górna
słowa połowa,
bo zaraz staje się płowa,
bezkształtna, podwodna, podskórna.

Więc Kasia wciąż stawia od nowa
wyrazy, co nikną bez słowa.

STARA FOTOGRAFIA MOJEGO TATY

Na zdjęciu jest chudy jak patyk
i spędza wakacje pod Płońskiem,
nad rzeką, co lśni jak Adriatyk,
lub Morze Tyrreńskie czy Jońskie.

Co lato się kąpał we Wkrze
(choć Wkrę sam nazywał Działdówką).
Czy marzył mój tata we śnie,
że kiedyś popłynie żaglówką
wzdłuż brzegów pradawnej Etrurii,
gdzie dzisiaj zobaczyłby mnie?

Czy patrząc na Wkrę w Sochocinie,
rozmyślał o wodach Ligurii,
jak ja myślę tu, w Principinie,
o jego pluskaniu we Wkrze?

List w myślach mu ślę spod Grosseto,
gdzie byłby i on, gdyby nie to,
że chłopak chudziutki jak patyk,
co na mnie spogląda ze zdjęcia,
ma pewnie ciekawsze zajęcia,
niż jeździć nad modry Adriatyk.
A jakie? Pojadę nad Wkrę,
to może się dowiem, kto wie.

Ilustracje i projekt graficzny: Maciej Błaźniak
Koncepcja okładek serii: Paweł Pawlak
Projekt logo serii: Ewa Kozyra-Pawlak

Koordynacja produkcji: Jolanta Powierża
Wydawca prowadzący: Natalia Sikora
Korekta: Bożenna Jakowiecka

Wydanie pierwsze, Warszawa 2014
Egmont Polska Sp. z o.o.
ul. Dzielna 60, 01-029 Warszawa
tel. 22 838 41 00

ISBN 978-83-237-7039-8
Druk i oprawa: Edica, Poznań